THE FIRST 100 WELSH WORDS

Y CAN GAIR CYNTAF

Cynlluniwyd gan Heather Amery
Lluniau gan Stephen Cartwright

Addasiad gan Roger Boore

Cyhoeddwyd dan nawdd Cynllun Llyfrau Darllen
Cyd-bwyllgor Addysg Cymru.

Chwiliwch am yr hwyaden fach felen ym mhob llun.
Look for the little yellow duck in every picture.

Yr ystafell fyw

tad **mam** **bachgen** **merch**

baban   **ci**   **cath**

Gwisgo

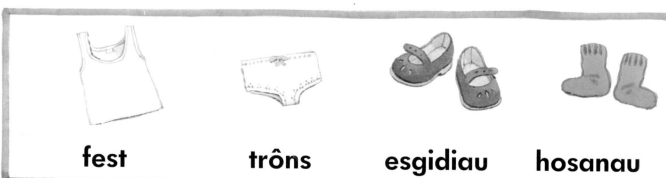

fest   **trôns**   **esgidiau**   **hosanau**

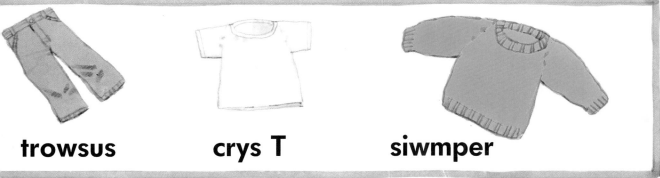

trowsus   **crys T**   **siwmper**

Yn y gegin

bara

llaeth, llefrith

wyau

afal

oren

banana

Golchi'r llestri

bwrdd, bord **cadair** **plât**

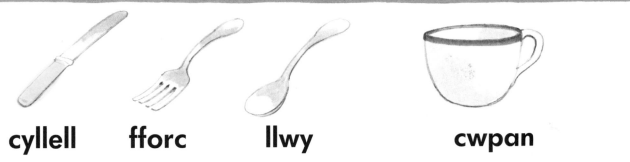

cyllell   **fforc**   **llwy**   **cwpan**

Chwarae

ceffyl **dafad** **buwch**

iâr   **mochyn**   **trên**   **blociau**

Ymweliad

mam-gu, nain   **tad-cu, taid**   **sliperi**

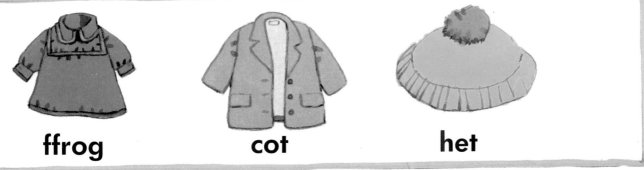

ffrog   **cot**   **het**

Yn y parc

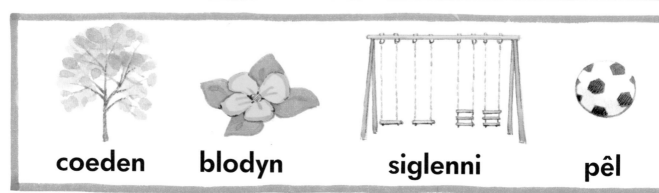

coeden   **blodyn**   **siglenni**   **pêl**

llithren **aderyn** **esgidiau glaw** **cwch**

Yn y stryd

car   beic   lori

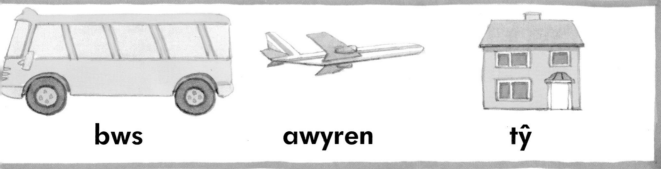

bws **awyren** **tŷ**

Cael parti

hufen iâ **teisen** **balŵn**

cloc

pysgodyn

bisgedi

melysion

Yn y pwll nofio

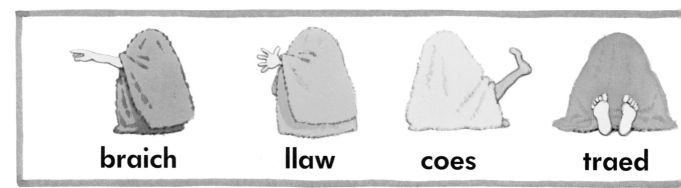

braich   **llaw**   **coes**   **traed**

bysedd traed　　**pen**　　**pen ôl**

Yr ystafell newid

ceg   **llygaid**   **clustiau**

trwyn **gwallt** **crib** **brws**

Yn y siop

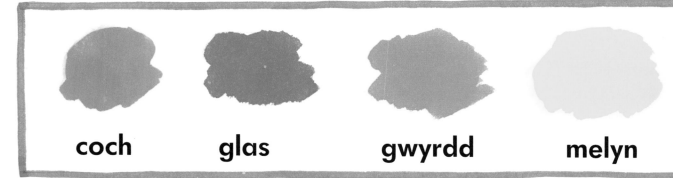

coch **glas** **gwyrdd** **melyn**

pinc   **gwyn**   **du**

Cael bath

bath

tywel

toiled

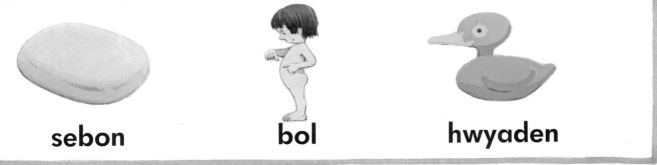

sebon

bol

hwyaden

Amser gwely

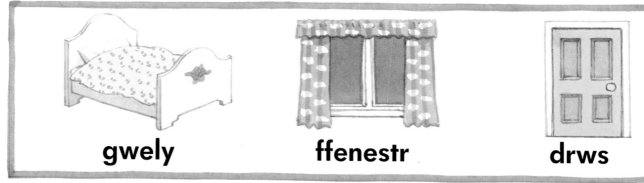

gwely   **ffenestr**   **drws**

golau　　**llyfr**　　**dol**　　**tedi**

Pa air sy'n perthyn i ba lun?

afal

banana

buwch

bwrdd,
bord

car

cath

ci

cloc

cyllell

dol

esgidiau
glaw

fest

ffenestr

fforc

golau

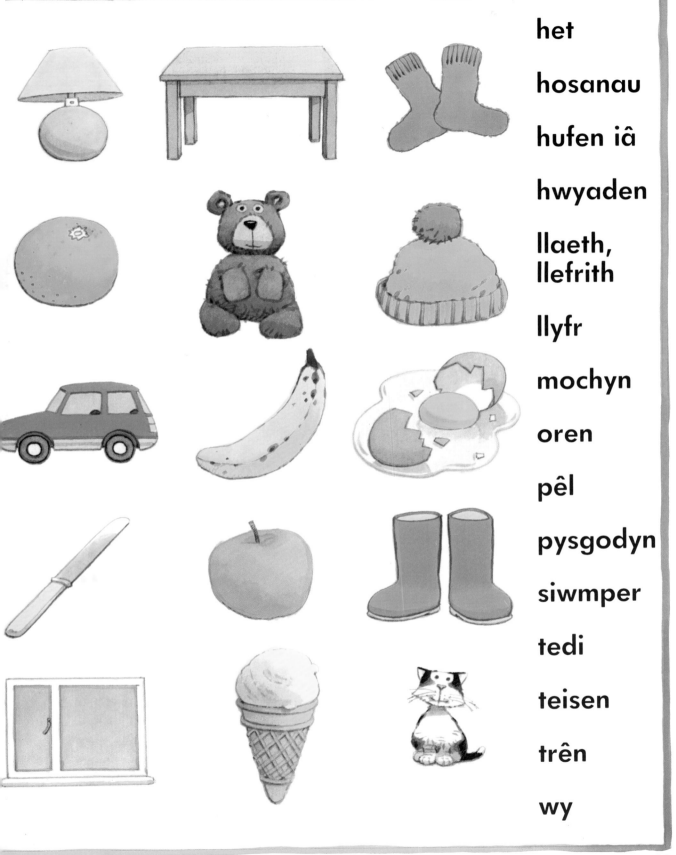

het

hosanau

hufen iâ

hwyaden

llaeth,
llefrith

llyfr

mochyn

oren

pêl

pysgodyn

siwmper

tedi

teisen

trên

wy

Rhifau

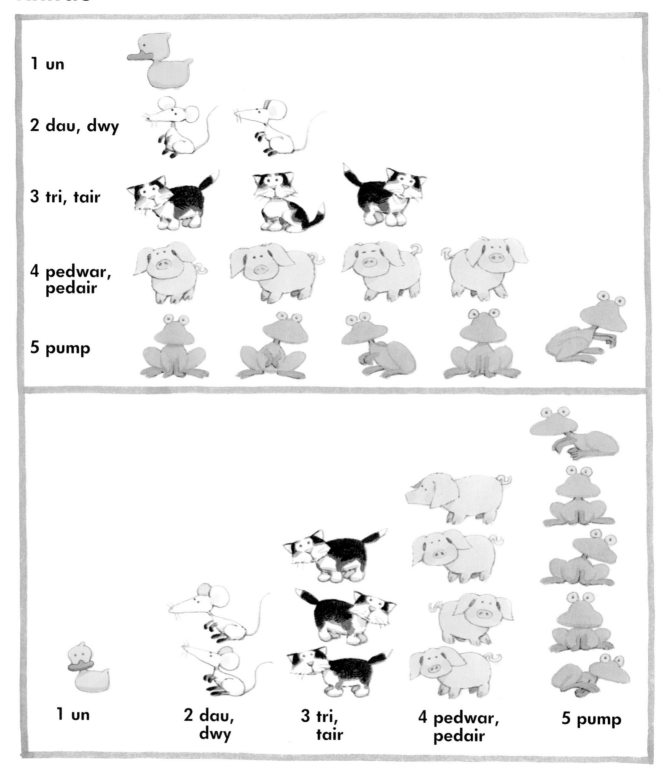

1 un

2 dau, dwy

3 tri, tair

4 pedwar, pedair

5 pump

1 un   2 dau, dwy   3 tri, tair   4 pedwar, pedair   5 pump

Rhestr geiriau *List of words*

aderyn *bird*
afal *apple*
amser gwely *bedtime*
awyren *aeroplane*

baban *baby*
bachgen *boy*
balŵn *balloon*
banana *banana*
bara *bread*
bath *bath*
beic *bicycle*
bisgedi *biscuits*
blociau *blocks*
blodyn *flower*
bol *stomach*
bord *table*
braich *arm*
brws *brush*
buwch *cow*
bwrdd *table*
bws *bus*
bysedd traed *toes*

cadair *chair*
cael *having*
car *car*
cath *cat*
ceffyl *horse*
ceg *mouth*
cegin *kitchen*
ci *dog*
cloc *clock*
clustiau *ears*
coch *red*
coeden *tree*
coes *leg*
cot *coat*
crib *comb*
crys T *T-shirt*
cwch *boat*
cwpan *cup*
cyllell *knife*

chwarae *playing*

dafad *sheep*
dau, dwy *two*
dol *doll*
drws *door*
du *black*

esgidiau *shoes*
esgidiau glaw *boots*

fest *vest*

ffenestr *window*
fforc *fork*
ffrog *frock*

gair *word*
glas *blue*
golau *light*
golchi'r llestri *washing up*
gwallt *hair*
gwely *bed*
gwisgo *getting dressed*
gwyn *white*
gwyrdd *green*

het *hat*
hosanau *socks*
hufen iâ *ice cream*
hwyaden *duck*

iâr *hen*

lori *lorry*

llaeth *milk*
llaw *hand*
llefrith *milk*
llestri *dishes*
llithren *slide*
llun *picture*
llwy *spoon*
llyfr *book*
llygaid *eyes*

mam *mother*
mam-gu *grandmother*
melyn *yellow*
melysion *sweets*
merch *girl*
mochyn *pig*

nain *grandmother*

oren *orange*

pa *which*
parc *park*
parti *party*
pedwar, pedair *four*
pêl *ball*
pen *head*
pen ôl *bottom*
perthyn *belong*
pinc *pink*
plât *plate*
pump *five*
pwll nofio *swimming pool*

pysgodyn *fish*

rhifau *numbers*

sebon *soap*
siglenni *swings*
siop *shop*
siwmper *jumper*
sliperi *slippers*
stryd *street*

tad *father*
tad-cu *grandfather*
taid *grandfather*
tedi *teddy*
teisen *cake*
toiled *toilet*
traed *feet*
trên *train*
tri, tair *three*
trôns *pants*
trowsus *trousers*
trwyn *nose*
tŷ *house*
tywel *towel*

un *one*

wy *egg*
wyau *eggs*

ymweliad *visit*
ystafell fyw *living room*
ystafell newid *changing room*